KB019421

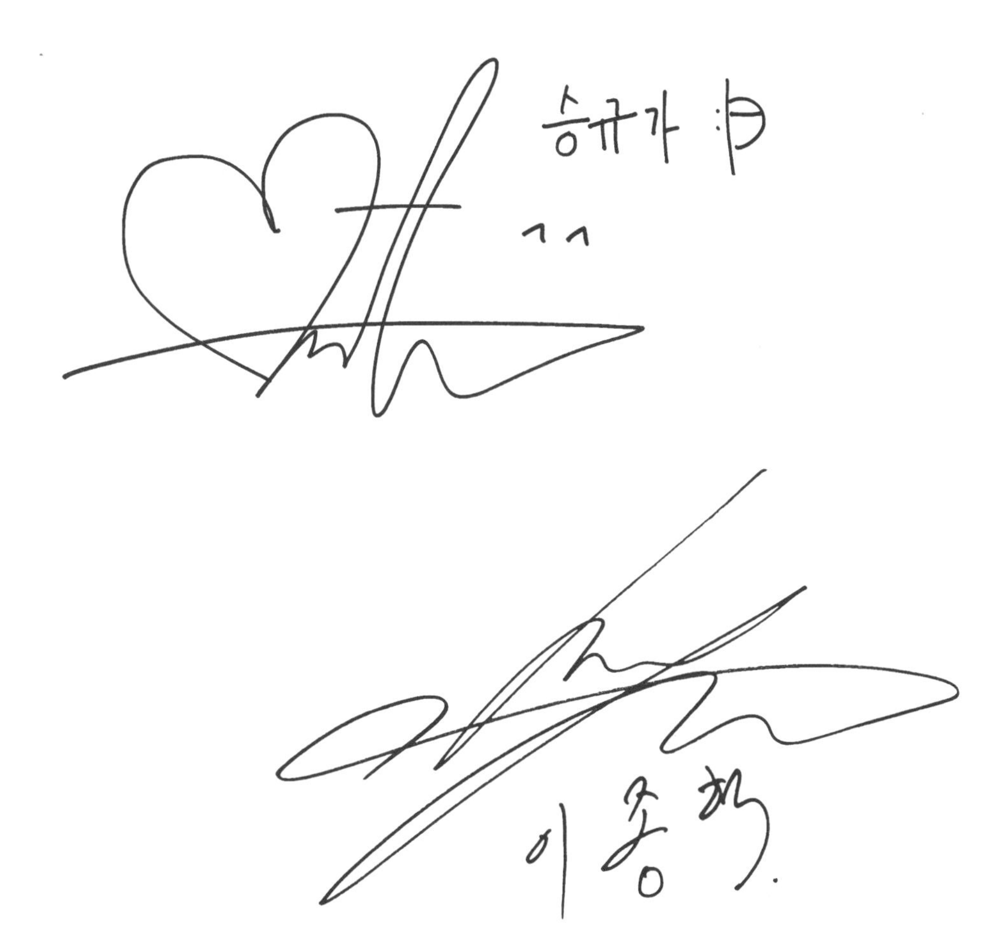
승규가

PLAY / STOP ››››››››››››››››››››››››››››››››››››››

›››››››››››››››››› LOVE SCORE : 

일러두기

1. 이 책은 연출에 의해 방송된 영상물 대사를 따랐습니다.
2. 5화에 등장하는 'STAGE 4'는 8화 사진을 활용했음을 안내드립니다.

우리 연애 시뮬레이션 제작팀 지음

blackD

이 완

CHARACTER

이완(27세 / a.k.a. 이안)

어릴 때부터 만화와 애니로 세상을 배운 될성부른 오타쿠. 터울 많은 누나의 책장에 있던 만화책들로 만들어진 취향이 좀 남다르달까. 덕분에 학창 시절, 사춘기를 직방으로 맞아 날뛰는 호르몬을 주체 못 하는 여느 고딩들과는 다르게 섬세한 감성의 소유자였다. 그 학창 시절을 빠짐없이 함께 보낸 기태를 짝사랑했다. 과격함이 미덕이고, 서열 싸움이 일상인 남고에서 그런 것에 일체 관심 없는 완의 든든한 방패막이가 되어줬으니까. 게임에 집중하고 있다가도 완이 부르면 미련 없이 달려오는 의리파 겜돌이었으니까. 그래서 졸업식 날 고백까지 했다. 하지만 완의 착각이었을까? 기태가 말하는 '우리'는 아무리 특별해도 우정까지였던 것 같다. 결국 도망치기를 선택했다. 입대를 했고, 아무리 생각해도 좋아하는 게 만화뿐이라 미대를 갔고, 블로그에 연재하던 만화는 영 호응이 없어 아르바이트로 연명 중이다. 나름 친구들의 연락을 요리조리 잘 피하며 살아왔는데, 어느 날 면접을 보러 간 게임 회사에서 기태를 다시 만났다. 큰일 났다. 7년이 지났는데도 심장이 뛴다. 어쩌면 다시 시작할 기회 아닐까?

컴공과 재학 시절, 각종 공모전에서 상을 휩쓸던 코딩 천재. 대기업 취직은 프리 패스일 거라던 이야기가 무색하게 현재 대표인 태오와 모바일 게임 스타트업을 시작했다. 어릴 때부터 게임에 미쳐 있던 기태에게는 당연한 선택일지도. 입력하는 그대로 출력되는 코딩처럼 학교생활도, 사회생활도 막힘없이 잘 살아왔는데 딱 하나 어려운 게 있다면 인간관계다. 예측할 수 없는 변수가 너무 많으니까. 특히 완이 그랬다. 낭만적이고, 감수성 풍부하고, 세심한 완의 마음속에 뭐가 들었는지, 그 깊이는 또 얼마만큼인지 도통 알 수가 없었다. 그래서 완은 늘 특별한 친구였고, 완에게는 언제나 졌다. 완이 잠적하고 나서 처음으로 감정의 소용돌이에 빠졌다. 화가 났고, 궁금했고, 걱정했고, 배신감을 느꼈고, 보고 싶었다. 그게 좋아한다는 뜻이라는 걸 깨달았을 무렵 완의 블로그를 발견했다. 계획대로 다시 완을 만났다. 심지어 같은 회사에서 매일 부딪치며 일하게 됐다. 이제 좋아한다고 말할 차례인데 완은 여전히 어디로 튈지 모르겠다. 원래 연애가 이렇게 복잡한 거였나? 이번에는 도망가게 내버려 두지 않고, 완과 엔딩까지 가보고 싶어졌다.

김태오(31세 / a.k.a 태오)

회사 대표이자 디자이너. 취미는 농담, 특기도 농담. 보통 본인만 웃긴 실없는 소리가 팔 할이라 직원들이 대꾸도 안 해주지만, 잠들기 전에 곱씹어보면 웃겨서 자존심 상하는 그런 개그 전문이다. 대학에서 디자인을 전공했다. 농담처럼 기획자와 개발자뿐인 회사라 외롭다며 우는소리를 해댔는데, 드디어 같은 전공자인 완이 입사해 누구보다 기쁘다. 대표답지 않게 나사 빠진 듯 굴어도 결정적일 때 판단력이 빛나는 타입. 어찌 됐든 분위기 메이커인 것은 확실하다.

써니(33세)

게임 기획자. "피곤해", "퇴근하고 싶다"라는 말을 제일 많이 한다. 전형적인 K-직장인의 모습이지만, 누구보다 회사에 애정이 많다. 대기업 게임 회사에서 개발자로 시작해, 초고속으로 인정받는 기획자가 된 엘리트다. 새로 기획하는 연애 시뮬레이션 게임을 총괄하고 있다. 무뚝뚝하고 세상 돌아가는 일에 관심 하나 없어 보이지만, 사실상 모든 것을 알고 있다.

제이미(27세)

게임 개발자. 통통 튀는 MZ세대 그 자체다. 최근 인턴을 마치고 정식 멤버로 합류했다. 똑 부러지게 맡은 일을 해내고, 할 말은 하는 막내다. 써니와 정반대의 캐릭터로, 세상 돌아가는 일에 관심이 많아도 너무 많다. 알고 보면 그냥 사람 좋아하는, 밉지 않은 사랑스러운 인물. 먹을 것에 진심이고 본인도 인정하는 금사빠다.

완과 기태의 고등학교 친구. 참 진에 클 석이라 진석인데, 친구들 사이에서는 참 진에 돌 석이 아니냐며 놀림을 당한다. 진짜 돌머리라는 뜻도 있고, 진짜 돌아이라는 뜻도 있다. 공부는 못하지만 참 해맑다. 눈치도 없는 편이라 시도 때도 없이 장난을 계속 날린다.

완과 기태의 고등학교 친구. 완과 기태 사이가 뭔가 수상하다고 느끼긴 하는데 왜 그런지는 잘 모르겠다. 완과 관련된 일이면 유독 예민하게 반응하는 기태가 유난스럽다고 생각한다. 평범한 고등학생이지만 진석보다는 공부도, 게임도 한 수 위라고 생각한다.

매직툰 웹툰 사업부 PD. 완의 그림을 알아보고 데뷔 기회를 제안한다.

완의 누나.

CHAPTER 1

게임을 다시 시작하시겠습니까?

● 오늘같이 중요한 면접 날에도 불쑥 그 앨 닮은 뒷모습을 마주친다.

▲ 연락드렸던 리트라이 대표 김태오입니다.

● 안녕하십니까! 이완입니다!

▲ 편하게 해요. 아, 한 분 더 들어오실 거예요.

■ 기획, 개발 하고 있는 신기태입니다.

● 틀렸다. 그 앨 닮은 사람이 아닌 그 애다. 오랜 내 업보. 신기태.

■ 저희 전작은 해보셨나요?

● 어… 네, 해봤습니다.

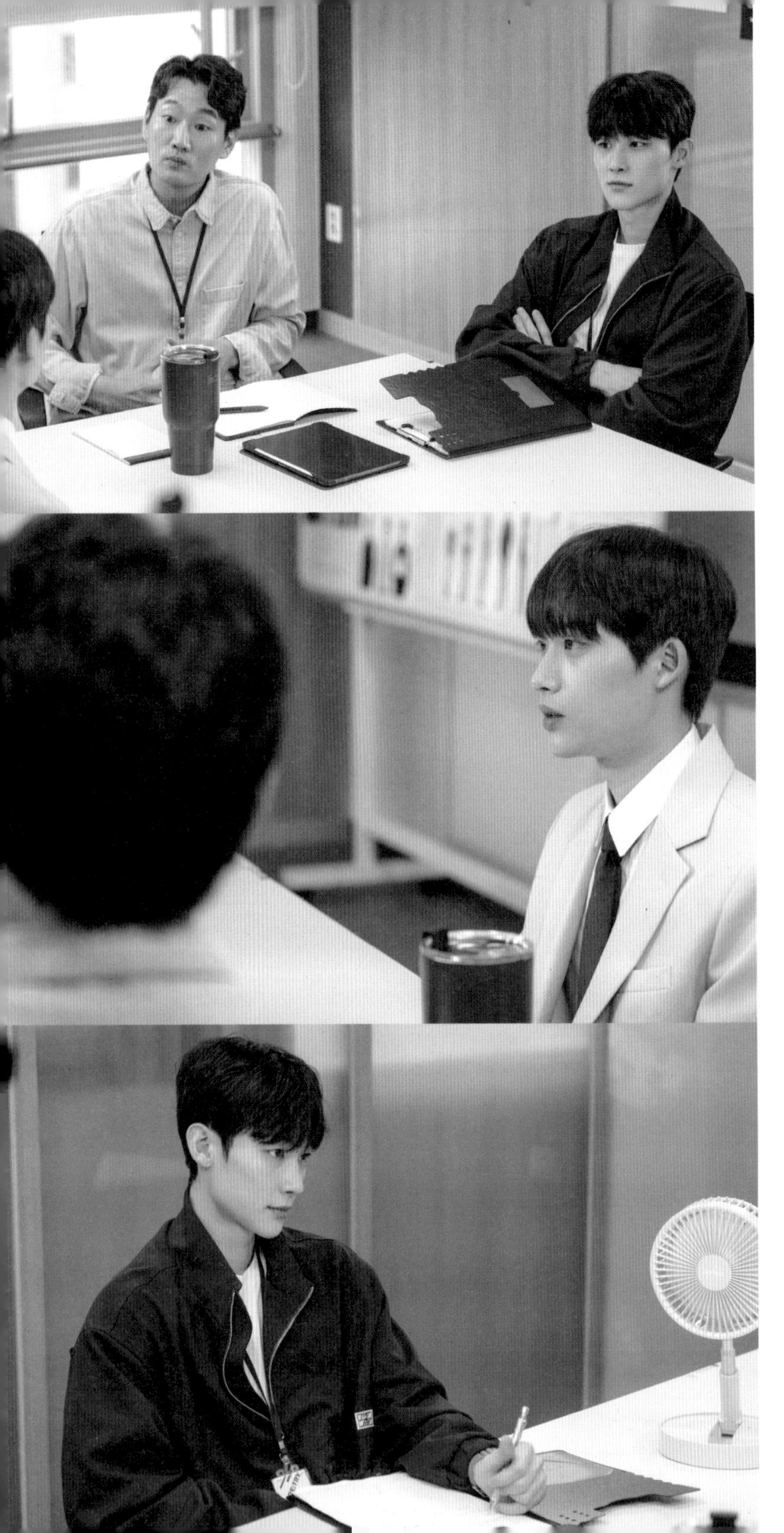

■ 엔딩은요?

● 아마 건물에서 탈출하는 엔딩이었던 것 같아요.

■ 아. 도망치는 엔딩?

● 언젠가 다시 만날 순간을 상상해본 적 있다. 하지만 이렇게는 아니었다.

▲ 고생 많았어요. 늦지 않게 문자 드릴게요. 그럼 난 일이 있어서 이만, 휘익.

■ 아, 이완 씨. 애인 있어요?
우리가 만드는 게임이 연애 시뮬레이션이니까요. 그냥 궁금해서.

● 7년 만에 망한 첫사랑을 만났다.
그것도 회사 면접에서.
이 모든 것의 시작은 7년 전 그날이었다.

BEHIND CUT

B1
RE:TRY

57
UNIVERSAL STUDIOS

이 게임은 총 7개의 스테이지로 구성되어 있습니다.

각 스테이지를 통과해 그 애의 마음을 공략하세요.
그럼 첫 번째 스테이지로 이동하시겠습니까?

GAME RESTART?

타이밍

CHAPTER 2

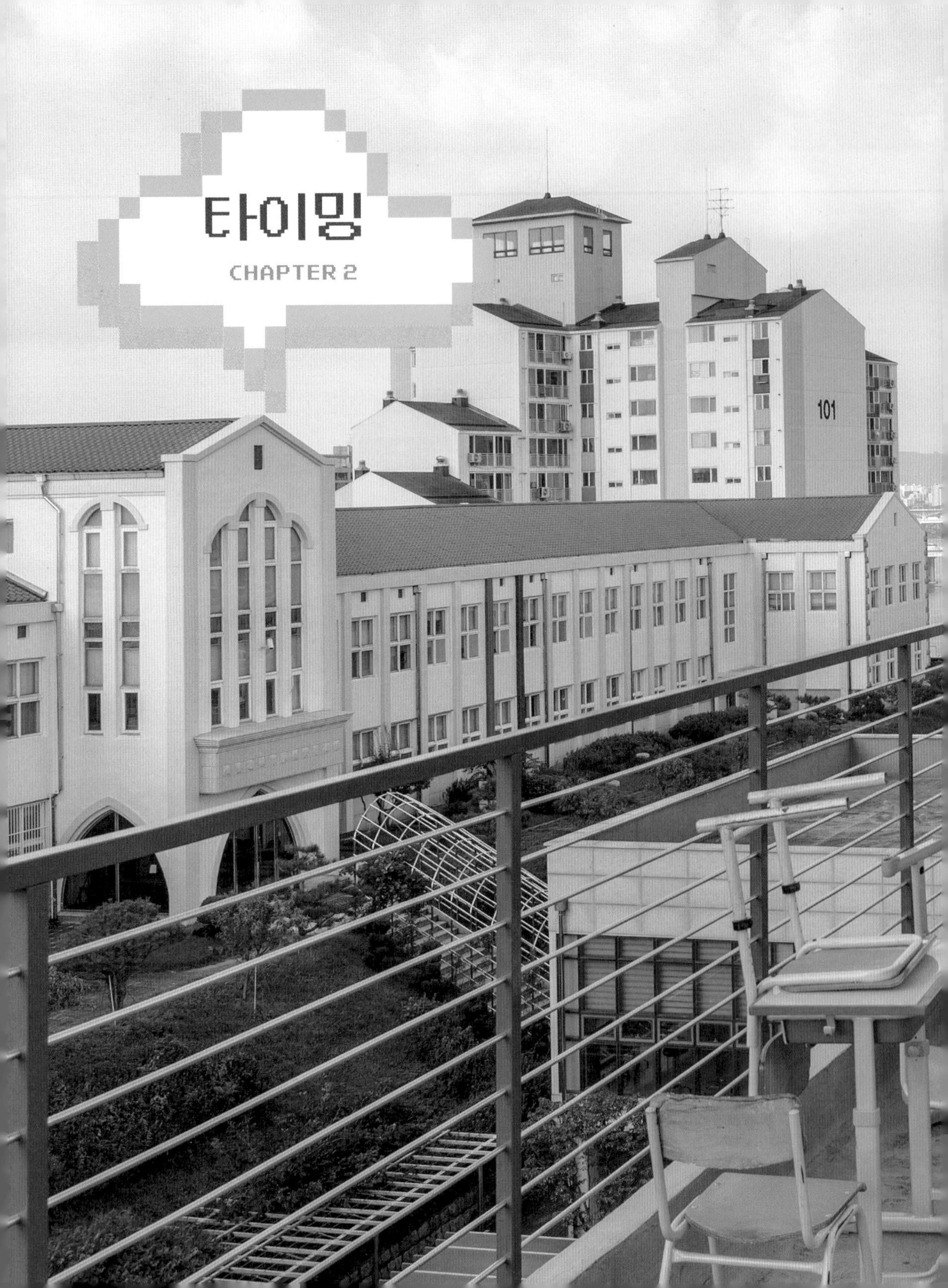

102

▲ 야, 안 올 것 같은데. 그냥 가자.

■ 올 거야.

■ 야! 안 오는 줄 알았잖아! 뭐 하다 이제 왔어!

■ 우리 이걸로 사진 한번 찍을까?

■ 졸업 축하한다. 앞으로도 잘 부탁해.

● 잠깐만.

■ 응?

● 나 할 얘기 있는데…….

■ 뭔데? 가면서 해.
너 배 안 고파?

● 너한테만 할 얘기야.

● 좋아해.

■ 나도 너 좋아해.

● 아니… 그게 아니라 내가 좋아한다는 건…

이런 의미야.

● 그날 난 모든 걸 버리고 도망쳤고, 영영 숨어버리기로 했다.

■ 야, 이완! 완아.

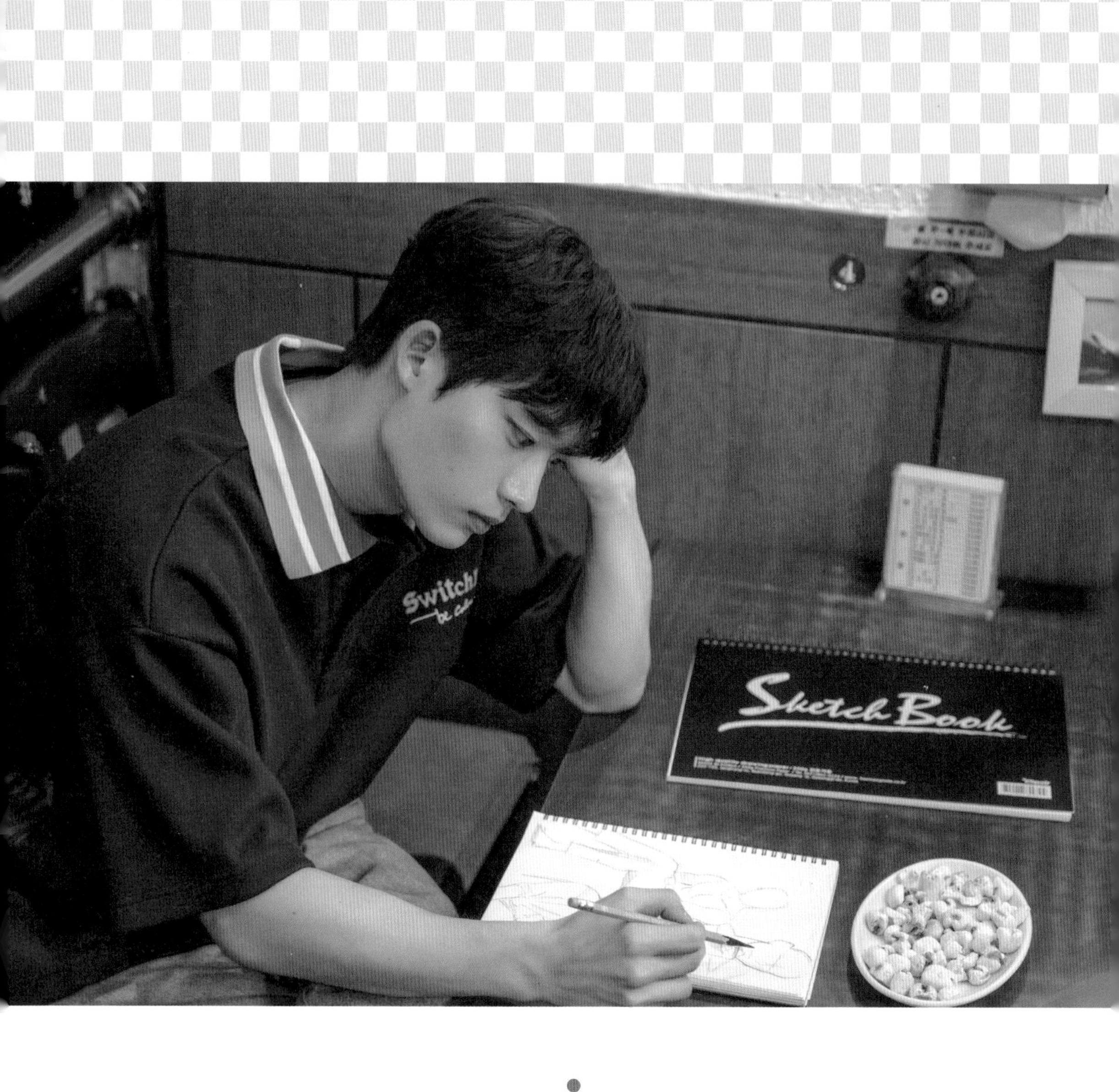

네가 올 리 없는데
자꾸 너를 기대하는 내가 싫었다.

■

이상했다.
나를 좋아한 건 걔고, 밀어낸 건 난데.
사라진 건 걔고, 남겨진 건 나라는 게.

● 믿을 수 없이 슬플 때에도

■ 믿을 수 없이 기쁠 때에도

● ■ 너에게 연락하지 못했다.

● 어느새 그림은 내 전부가 되어 있었고, 신기하게도
내 그림에 응답하는 사람들이 생겨났다.
이젠 나도 너를 잊고 다른 세계로 갈 수 있을지도 모른다.

▲ 완 씨 웹툰에는 얼굴이 하나밖에 없는 거 알아요? 모든 인물의 얼굴이 다 똑같아.
다 똑같은 표정. 다 똑같은 얘기.
단 하나의 이야기, 단 하나의 감정에만 매몰되어 있는 작가는 단 하나의 얼굴밖에 그릴 수 없잖아요.
● 피디님, 그래도 감사했어요. 몇 년간 블로그에 댓글 달아주신 덕에 용기 많이 얻었습니다.
▲ 댓글…?
● 게임보이요.
▲ …게임보이요?
● 제 블로그에 댓글 달아주신 거 안 피디님 아니신가요?
▲ 전 아닌데.
● …….

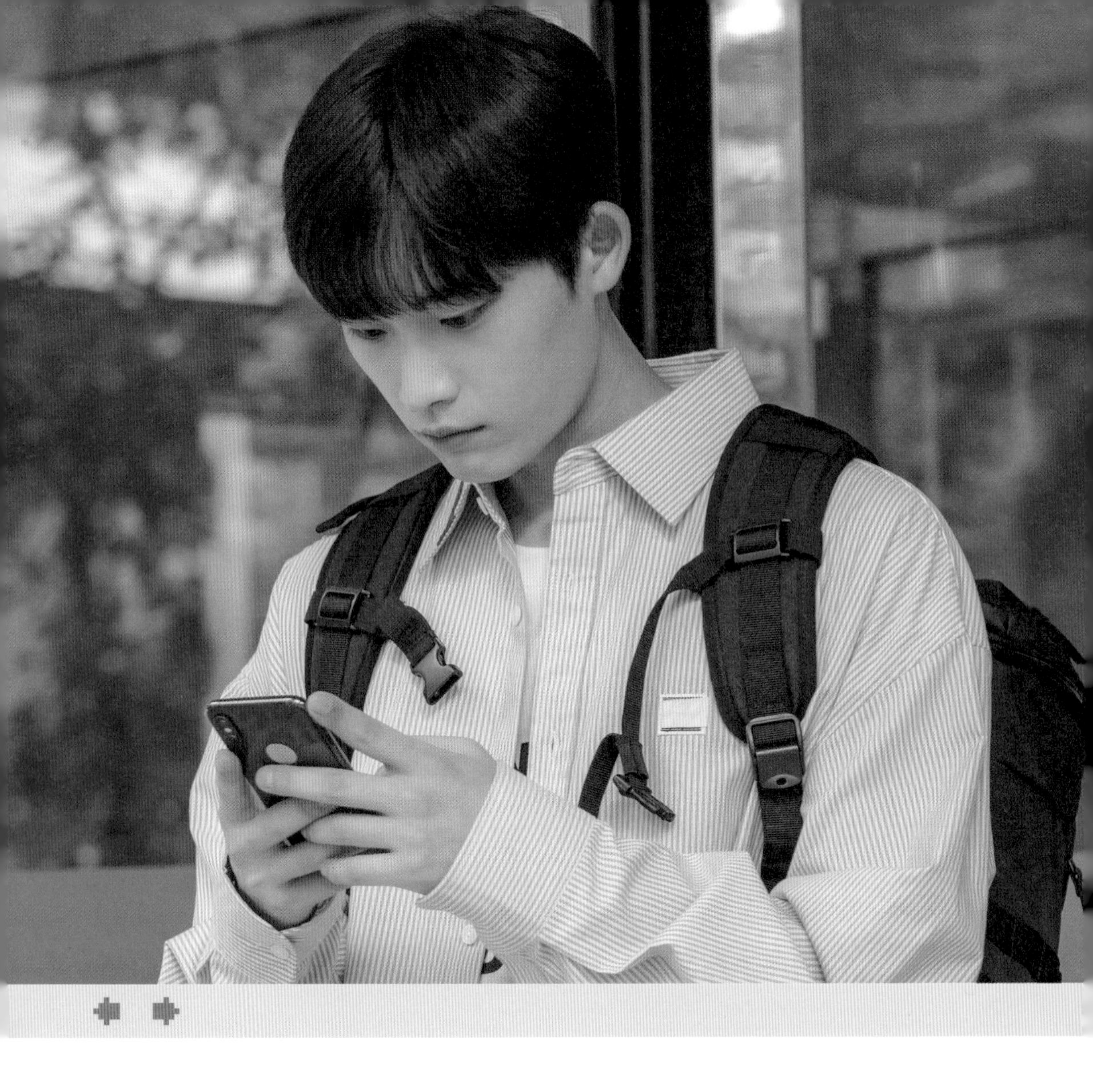

● 그나저나 게임보이는 누구야.

«»

▲ 안녕하세요, 리트라이 대표 이태오입니다. 캐릭터 원화 작업 건으로 만나 뵙고 싶은데요.

● 나는 다시 선택의 기로에 섰다.

게임보이: 이번 화도 너무 재밌네요.

주인공 이안이 다음 화에선 안 도망쳤으면 좋겠어요. 개인적인 의견이지만요.

RE: 누구신지 모르겠지만 응원 늘 감사합니다. 이번엔 안 도망쳐볼게요.

■ 무슨 7년씩이나 걸리냐.

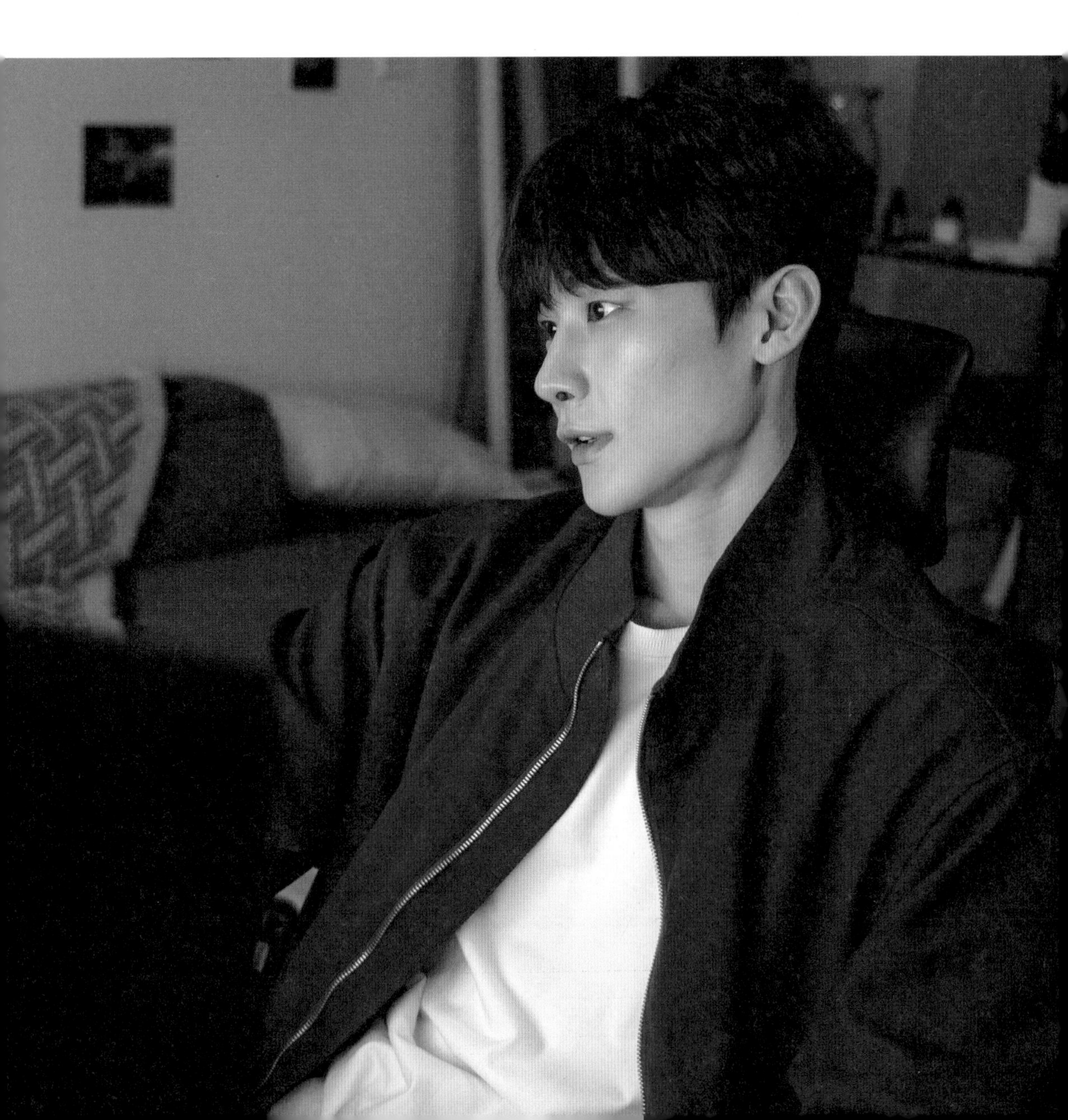

BEHIND CUT

신기태

신기태

이곳에

Sketch Book
Switch12

STAGE 01

나만의 아지트 안, 오래된 필름 카메라를 발견했다.
낯선 아이와 눈이 마주쳤다.

1. 어색하게 인사한다

2. 카메라 버튼을 눌러본다

PLAY / STOP >>> LOVE SCORE

NO

다음 스테이지로 이동하시겠습니까?

CHAPTER 3
너의 SNS
RE:TRY

▲ 어? 안녕하세요! 일찍 오셨네요?

● 안녕하십니까! 오늘 첫 출근하게 된 이완이라고 합니다!

▲ 아이고, 일찍 오셨네? 많이 기다렸습니다. 드디어! 근데 옷이…

● 아, 그래도 첫날이라…….

▲ 오케이. 생각은 해봤어요?

● 네?

▲ 게임 닉네임이요. 우린 호칭을 닉네임으로 부르거든요.

■ 저기요?

● 아, 깜짝이야! 아… 그게…….

■ 제 자리라.

■ 이제 우리 게임 파악 좀 됐죠? 다음 회의 때 리뷰할 거 준비 좀 부탁해요. 왜요, 어려워요?

● 아, 아니요. 다음 회의까지 준비하겠습니다.

■ 재밌는 게임은 몇 번이 오버가 나도, 밤을 새서라도 다시 하죠. 끝까지 가고 싶으니까.
자, 그럼 완 씨는 우리 게임이 왜 재미가 없었을까. 1번, 끝이 궁금하지 않아서.
2번, 선택지가 재미없어서. 3번, 도무지 집중을 안 해서.

● …….

■ 일하러 왔는데 왜 집중을 안 해요?

《 》

● 이건 실제 유저들의 마음을 반영한 선택지가 아니에요.
돌아가고 싶은 순간, 그때 그 감정은 생각보다 더 자잘하고 찌질해요.
그런 게 전혀 반영이 안 되어 있어요.

■ 이렇게, 뒤로. 뒤로 시간을 돌릴 수 있다면 어떤 선택지를 줄 것인가?
좋은 지적이네요.
아, 닉네임은 정했어요?
이안. 완 씨 블로그 웹툰 주인공 이름이잖아요. 그걸로 하세요.

■ 이안, 준비한 리뷰 부탁해요.

● 저는… 좀 더 될 듯 말 듯 둘 사이를 헷갈리게 하는
세부 선택지가 많아야 된다고 생각해요.
원래 긴가민가할 때가 가장 설레는 거잖아요. 짝사랑할 땐.

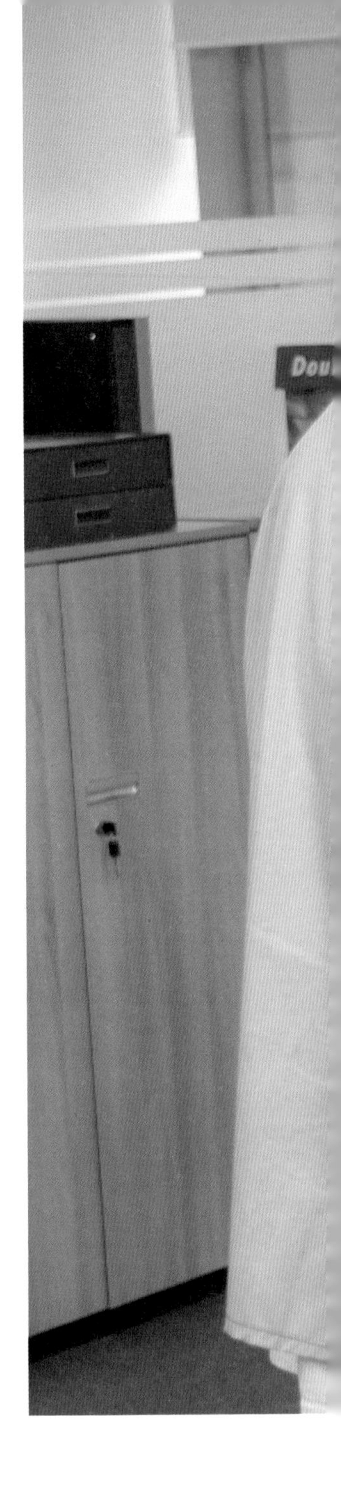

▲ 이안 님, 아이디어 좋네요. 에디가 사람 잘 봤어요.
우리한테 그렇게 그렇게 추천하더니.

● …누가, 누굴 추천했다고요?

▲ 에디가 이안이요. 이안 블로그 발견해서 우리한테 먼저 보여줬었어요.

● …….

● 저기, 잠깐 얘기 좀 하시죠.

■ …….

● …너지? 나 추천한 거?

■ 너?

● 너. 나 알지?
알고 이러는 거지?

■ 알지, 그럼. 내가 널 왜 몰라.

● 그럼… 왜 말 안 했어?
사람 바보 만드는 거야?
재밌어?

■ 넌 모르지?
● 뭘!
■ 모르겠지.
● 뭐가!
■ 나야, 게임보이.
● …….
■ 말 안 걸 수가 없었다.
너무 반가워서.

BEHIND
CUT
RE:

CAUTION
www

Sensitive
Standard
Sensual.

MICHIGAN

신기태

신기태

이 완

STAGE 02

그 애의 SNS에 들어가보고 싶다.

1. 자연스럽게 친해질 때까지 기다린다

2. SNS에 들어가 취향을 파악한다

PLAY / STOP >>> LOVE SCORE

NO

다음 스테이지로 이동하시겠습니까?

CHAPTER 4

갑자기 날아온 공과 고백

■ 도와줄게요.

● 됐어요.

■ 저기요…?

● 그냥 일합시다. 선 넘지 말고. 몰래 남의 블로그나 훔쳐보지 말고.

■

밥 안 먹는다고 하시더니, 여기로 도망 오셨네.

난 이미 먹고 있으니까 에디 님이 나가주시죠.

■ 나갈게요. 이거 계산은 제가.

● 제가 합니다. 진짜 이러지 마시죠.

■ 법카. 이게 회사 동료 대하듯 하는 거예요. 선 넘은 것도 아니고. 훔쳐본 것도 아니고.

● …….

■ 이건 또 언제 먹으려고 붙여놨대? 빨리 먹어요. 난 갈 거니까.

● …….

▲ 이안 왔다! 이안도 빨리 걸어요. 지금 써니 대 에디 대결인데,
이길 것 같은 사람 딱 골라봐요.

● 이기면 뭐가 있어요?

▲ 이기는 사람은 소원권!

■ 예스! 이따 이안 추가로 스케치할 거 있어서 나간다면서요.
모델 필요할 거 같은데, 제가 따라갈게요. 괜찮죠?

● 네? 싫다면요…?

■ 내 소원인데 이안이 싫은 거랑 무슨 상관이죠.

● 일하자면서 또…….

■ 일하러 온 건데. 학교 배경 스케치한다면서요?

● 스케치는 제가 알아서 할 테니까 방해하지나 마시죠.

● 그대로 있어요.

■ 나 궁금한 거 하나 있는데.
예전에는 필름 카메라로
사진 찍고,
그걸로 그림 그리지 않았나?
● 사진 안 찍어요.
■ 왜요? 예전에 그 필카는?

● 이게, 왜 너한테…
■ 너 찾다가 찾았다.
● 남이 버린 걸 네가 왜 주워.
■ 왜 버렸는데?
● 내놔.
■ 싫어.
● 제발 나 좀 그만 괴롭혀!

■ 또 도망가냐?

● 뭐?

■ 그래, 또 나만 남는 거지? 너 혼자 오해하고 도망치고, 남겨진 건 나였잖아. 넌, 넌… 잘 지냈냐? 나 없이?

● …….

■ 내가 널 괴롭힌다고? 아니, 너야말로 7년 동안 나 괴롭힌 거야.

● 야…….

■ 나도 이젠 안 놓쳐.

● …….

■ 나 너 좋아해.

● 뭐?

BEHIND CUT

W
84

STAGE 03

조금 얼얼한 것을 빼고는 괜찮은 당신.
업히라는 짝남의 말에 당신의 선택은?

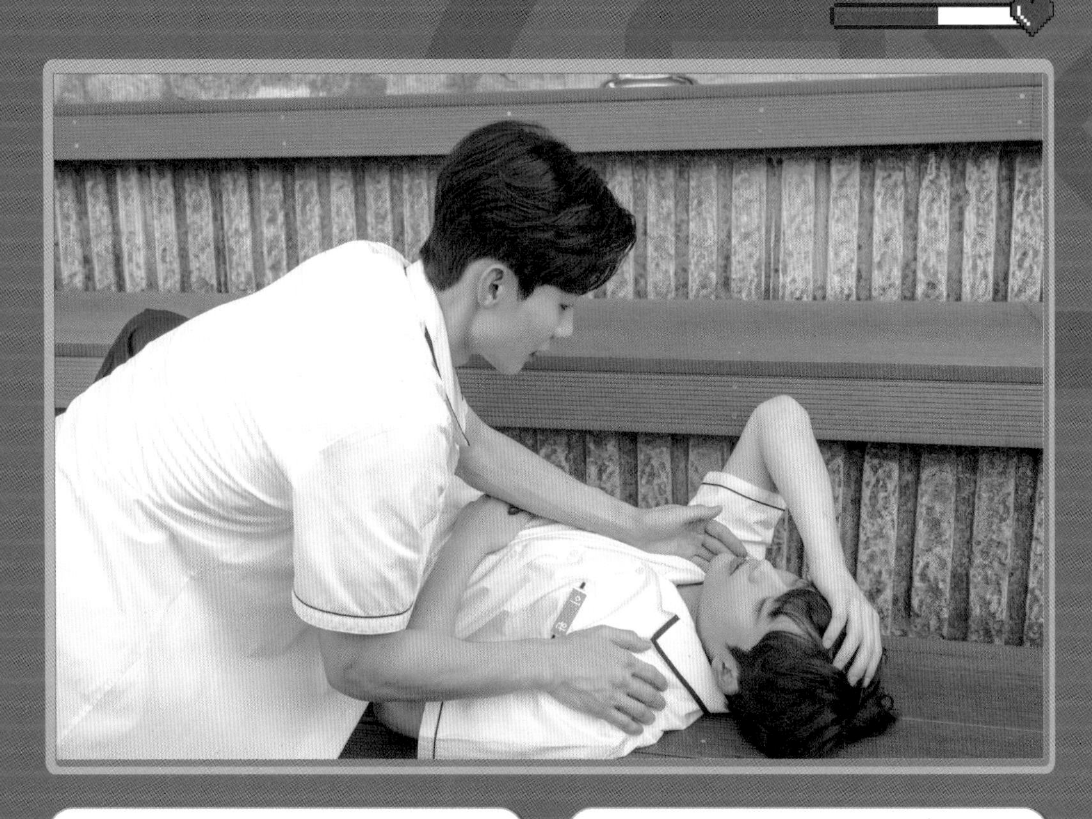

1. 모른 척 업힌다

2. 괜찮다며 툭툭 털고 일어난다

PLAY / STOP >>> LOVE SCORE

YES NO

다음 스테이지로 이동하시겠습니까?

CHAPTER 5
우리 사이의 거리

● 교실이나 복도 외에도 교정 곳곳을 디테일하게 그려봤습니다.
오히려 추억은 그런 곳에서 많이 쌓이니까요.

■ 인물 캐릭터는요? 그게 제일 중요한데.

▲ 어? 에디 닮지 않았어요?
뭔가… 이목구비가 딱 에디 같은 존잘 느낌?
하긴, 에디도 진짜 엄청 잘생겼지만!
2D를 이길 수 있는 3D는 없죠.
■ 진짜 너무들 하시네요.

■ 아, 피곤해… 아직 할 거 많이 남아 있어요?

● 네. 아직 조금요.

■ 뭐 마실래요? 커피? 내가 살게요.

● 괜찮아요. 밤에 커피 안 마십니다.

■ 피곤할 텐데 나머지는 집 가서 작업해. 데려다줄게.

● 여기가 편해. 갈 데도 없고.

■ 갈 데가 없다니…?

● 잠깐 올라와 있는 거라, 여기 숙직실에서 지내고 있어…

■ …숙직실?

■ 넌 무슨 애가 혼자 위험하게, 사람 막 드나드는 데에서 아무렇지도 않게 자냐?

● 아니, 뭐가 위험하다고. 그리고 네가 무슨 상관이야.

■ 상관있지. 내가 너 좋아…

■ …좋아한다고 했잖아.

● …….

■ 야근하러 가자!

■ 퇴근했으니까 이제 맥주.

● …….

■ 노동주.

● …….

Urbanage

■ 이제 좀 믿어주시나?

● 뭘…….

■ 내가 너 좋아하는 거.

야근하자더니…….

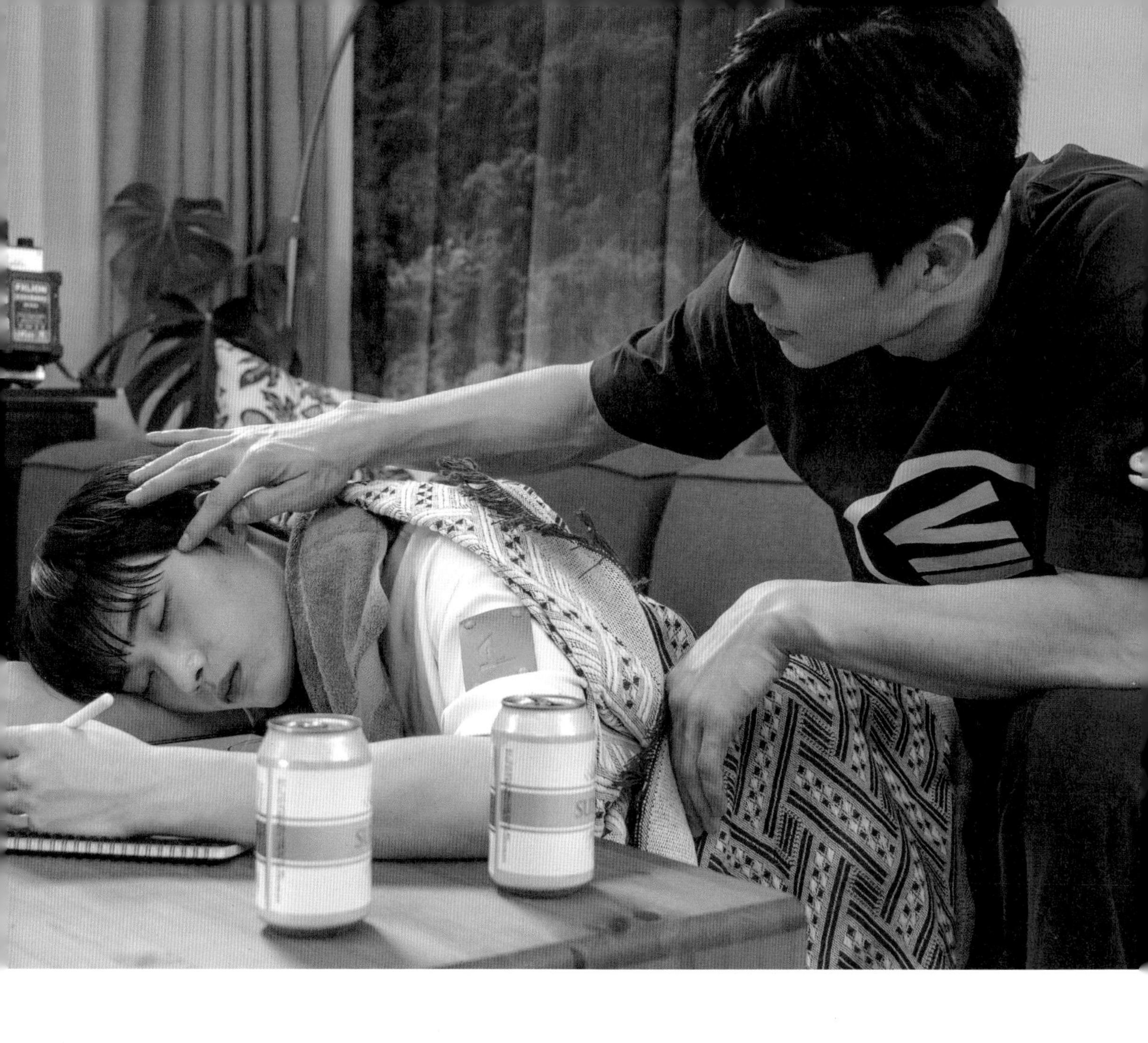

■

오랜만이네, 이 얼굴. 솔직히 말해봐. 너 아직 나 좋아하잖아.

▲ 여러분, 드디어! 베타 테스트 링크 올라갔습니다. 다들 고생했어요. 회식 어때요?

● 저는 고기면 다 좋습니다!

■ 회식 끝나고 이안 님이 따로 불러낼 줄 몰랐네. 너, 뭐 할 말 있어?

● 아니, 뭐.

■ 할 말 많은 얼굴인데.

● 아냐.

■ 뭐지?

● 그냥… 며칠 동안 일만 하느라 고생했으니까 수고했단 의미로……. 수고했어.

■ 그게 아닌데.

● 나 회사에 불러줘서 고맙기도 하고.

■ 너 나 좋아하지?

● 뭐…?

■ 난 아무리 생각해도 네가 아직 나 좋아하는 거 같거든.

● 뭔 소리야.

■ 이번엔 둘 다 안 피했네.

● …….

■ …우리, 다시… 가볼래?

BEHIND
CUT

Double A
Double A

STAGE 04

너무 가까운 그 애와의 거리.

1. 뒤로 물러선다

2. 더 다가간다

PLAY / STOP >> LOVE SCORE

NO

다음 스테이지로 이동하시겠습니까?

CHAPTER 6

떨어지지 말자는 약속

FIELDMANUAL

■ 이안, 할 얘기 있으니 잠깐 따라오세요.

● 지금요?

■ 네, 지금요.

● …….

■ 그 대답은…?

● 네? 무슨 대답?

■ 어제 일 기억 안 나요?

● 어젠 너도 나도 취했고.

■ 난 안 취했는데.

● 그럼 진심이야…?

■ 너는 그럼 막 장난으로 키스도 하고 그러는가 보지?

● 야.

■ 그래서 싫어?

● …뭐, 그, 더 해봐.

■ 뭐라고?

● 나 진짜로 좋아하는 거면, 짝사랑. 조금 더 해보라고.

■ 아직도 자?
● …주말이잖아.
■ 데이트하자.
● 갑자기?

■ 응. 준비하고 나와.
● 야, 누가 데이트 신청을 그렇게 해?
■ 그럼?
● 너 진짜 짝사랑 한 번도 안 해봤지?
■ …….

● 여보세요?

■ 어, 완아. 있잖아, 너 혹시 지금 통화 가능해?

● 응.

■ 내가, 어쩌다 전시회 티켓이 생겨버려가지구. 너 약속 없으면 같이 갈래?

● 글쎄, 내가 또 전시회는 별로 안 좋아해서.

■ 아… 그치! 그럴 것 같았어. 그러면은 너 가고 싶은 데 가자.
기다릴게.

Sensitive
Standard
Sensual.

■ 나 뭐 하나만 물어봐도 돼?

● 뭐…?

■ 나 얼마나 더 하냐? 짝사랑.

● 글쎄, 내가 했던 거 따라오려면 아직 한참은 더 해야 되는데.

■ 넌 연애했어? 그동안?

● ……당연히 했지!

■ 했다고? 누구랑? 어떤 놈인데?

● 어? 그, 있어. 있었어. 너는 모르는 사람인데…

■ 있었대, 참. 연애를 했었네.

● 하… 그래, 없었다! 됐냐?

■ 됐다.

● 너, 그 머리 하지 마. 나 진짜 짜증 나.

■ 남친 단속하세요?

● 뭐래?

■ 우리 이러고 있으니까 고딩 때로 돌아간 것 같다.
난 게임 하고 넌 만화 보고. 그러다 친해졌잖아.
그때 진짜 좋았다.

■ 내가 몰랐을 것 같아?

● 뭘?

■ 내가 게임 하다 잠들면 네가 나 뚫어지게 쳐다보던 거.

● 뭐, 뭐래. 내가 널 왜 쳐다봐.

■ 귀엽다, 귀여워. 자, 실컷 봐.

FLDMNL

▲ 방해하지 말아요. 제이미가 계속 말했던 이안 임자가…

■ …임자?

▲ 으응, 임자. 이안 들어올 때부터 계획된 소개팅. 제이미의 오랜 숙원 사업.

■ …….

■ 오늘 야근 커피빵, 제이미 차례 아니었나요?

▲ …어, 그랬었나?

■ 제이미 혼자 들고 오려면 정말 무겁겠다. 그렇죠?

■ 뭐야, 아까 그거?

● 뭐? 아, 그게 제이미 친구분이 내 팬이라고 하셔서.

■ 그러니까 팬 미팅이었다? 소개팅이 아니라?

● 왜 이렇게 화나 있어? 질투해?

■ 어, 나 질투해. 질투 안 하게 생겼어? 내 남친이 소개팅을 나갔는데.

● 남친?

■ 맞잖아.

● 너 진짜 너무 조심성이 없어.

■ 왜, 뭐! 누가 뭐라 그래? 우리가 사귄다는데?

● 조심 좀 해. 여기 회사야.

■ 너 그런 말 하지 마. 우리가 어떻게 다시 만났는데.

● …미안해.

■ 미안하면 잘해. 미안하면 앞으로 도망가지 말고.

● …그럴게.

■ 그리고 너 그렇게 웃지 마, 다른 사람들한테.

● 아직도 질투하는 거야?

■ 하나 더. 너 이 귀여운 옷 입고 출근하지 마. 내가 제일 좋아하는 옷, 딴 사람들이 보는 거 너무 싫어.

● 남친 단속까지?

BEHIND
CUT

이 완
이 완

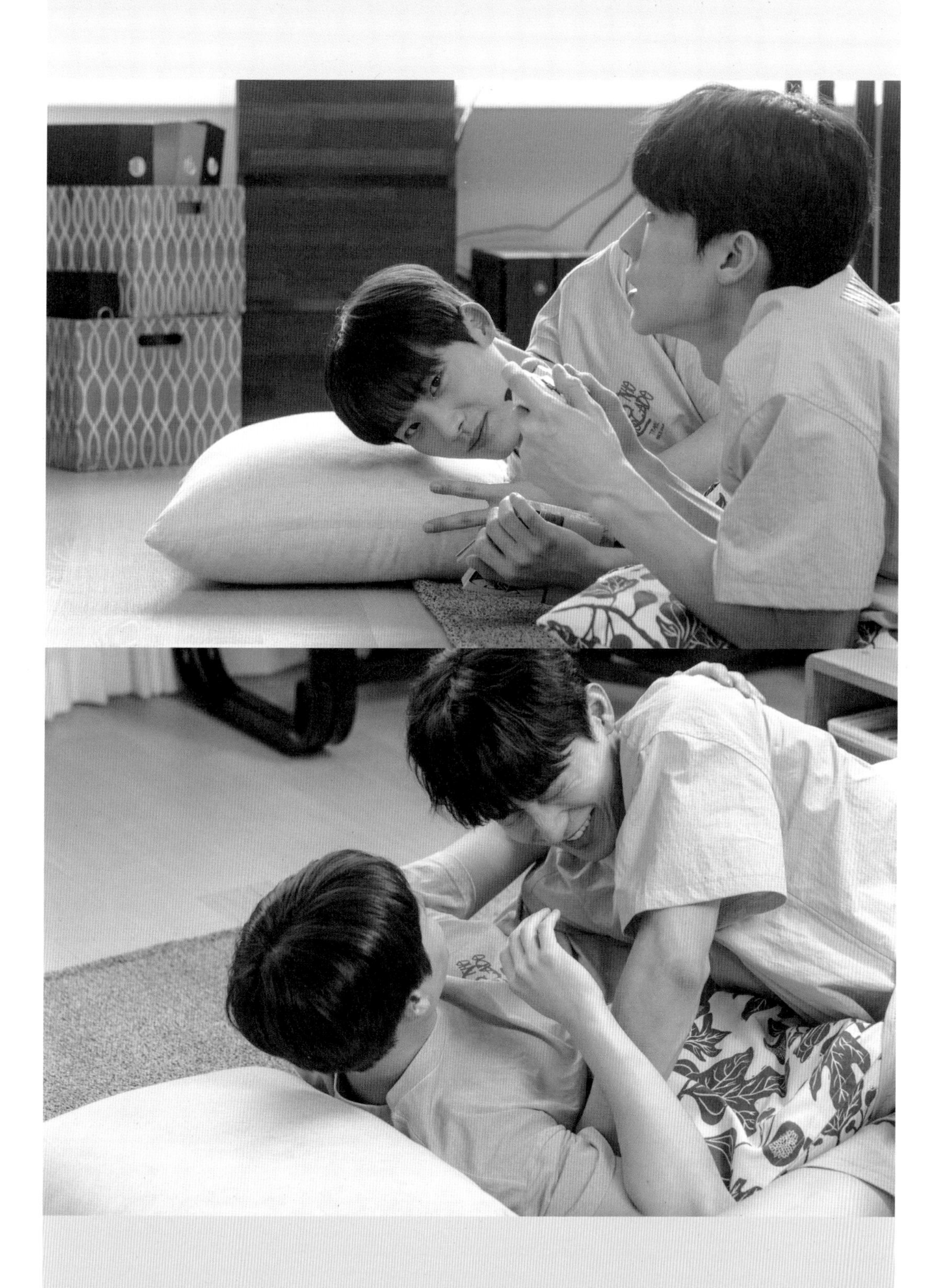

UNIVERSAL STUDIOS
6.2
B
2
DATE 2022.8.14
PROD.CO. 유연시.
SOUND
DIRECTOR

No Pets

STAGE 05

그 애가 같이 도망가자고 합니다.
당신의 선택은?

1. 안 돼, 이거 다 끝내야 해

2. 재미없기만 해봐

PLAY / STOP >> LOVE SCORE

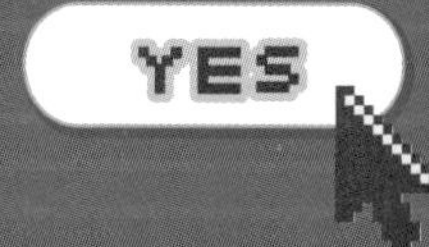

NO

다음 스테이지로 이동하시겠습니까?

CHAPTER 7
선택의 기로

▲ 근데 완이는 어떻게 다시 만났냐?

■ 걔 우리 회사 다니잖아. 얼마 전부터.

▲ 오랜만에 보니까 어떻디?

■ 뭘 어때. 그대로야.

▲ 근데… 걔는 왜 갑자기 사라진 거래?

■ …….

▲ 완 씨도 이제 다른 그림 그릴 준비가 된 것 같아 보여요.

● 아, 네…….

▲ 우리 같이 가요, 작가님. 우린 한 달 뒤에 호주부터 돌 거고요.

● 너무 감사한데, 제가 지금 진행 중인 프로젝트가…

▲ 어플 출시되면 빠지기로 한 거 아니에요? 뭘 망설여요. 무조건 가야지, 무조건.

● 근데… 저 화분들은 뭐야? 예전부터 궁금했어.

■ 내 취미.

● 너무 안 어울리는데.

■ 그냥 걔들 보고 있으면 이상하게 맘이 편해져.
걔들은 어디 안 가고 그냥 그 자리에 뿌리내리고 있잖아…….

● …말에 뼈가 있네.

■ 알면 어디 가지 마세요.

● 안 간다니까?

▲ 나는 선택 버튼을 둥글게 만들까,
뾰족하게 만들까 그걸로 머리가 아파 죽겠어요.
■ 왜요, 난 연애하는 게임 만드니까 설레고 좋던데.
▲ 뭐야 뭐야, 요즘 연애해요?

■ 누구신지?

● 나 전에 알던 피디님이셔.

■ …

● 나 먼저 갈게. 이따 봐.

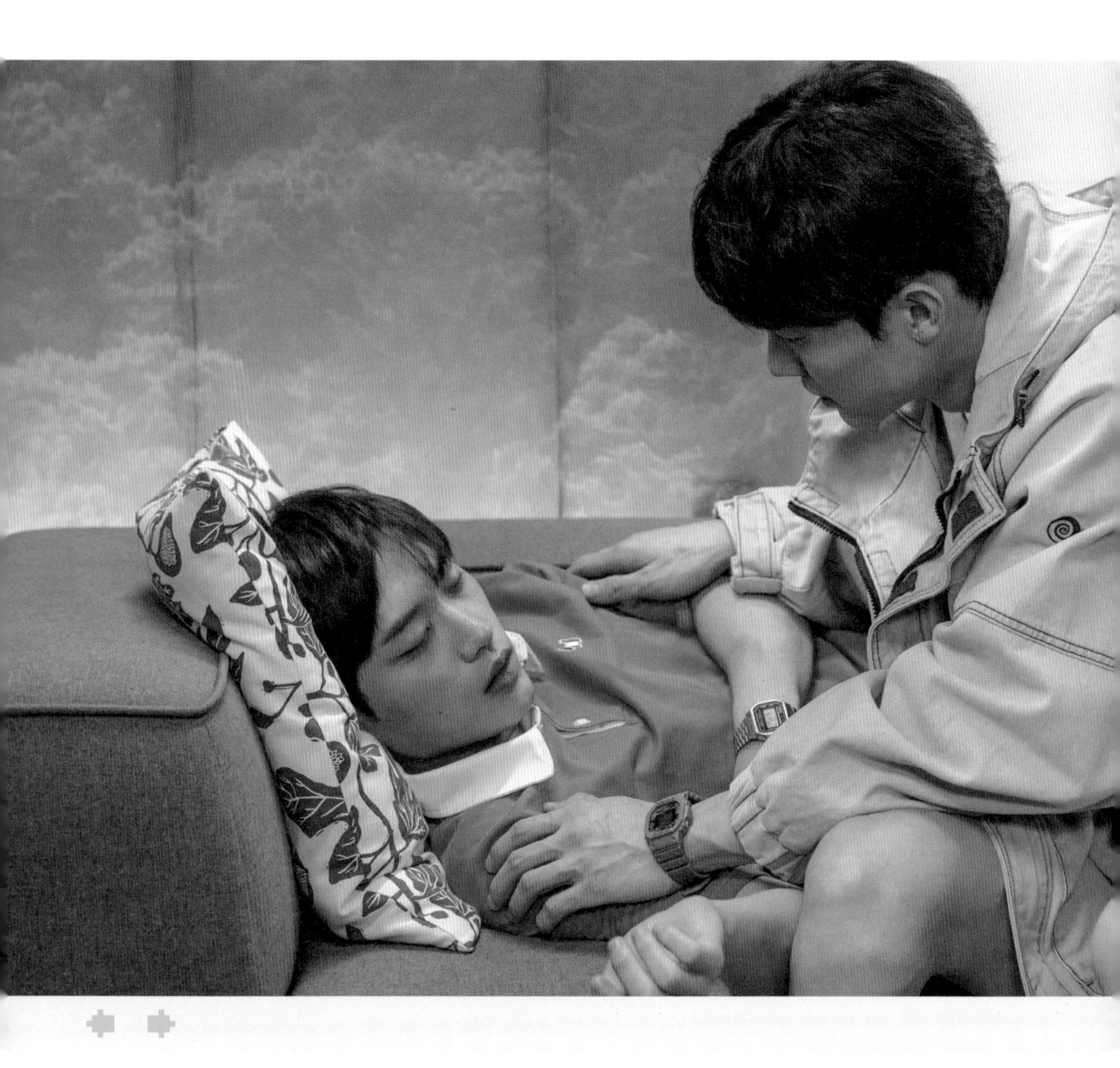

■ 너 일어나서 봐.

● 기태야.

■ 왜, 물 갖다 줘? 화장실 가고 싶어?

● 너 내가 딴 데 가면… 너 싫지.

■ …뭐?

● 그니까… 나 딴 데 가면…….

■ 애써 무시해왔던 이 불안이 다시 찾아온 것 같다.

■ 너 다른 데 간다는 게 무슨 얘기야?

● …가긴 내가 어딜 가.

■ 완아, 나 무서워.

● 어…?

■ 너 또 내 눈앞에서 없어질까 봐, 무서워.

● …….

■ 지금 말 안 해도 상관없어. 어차피 답은 정해져 있으니까.
너, 이번엔 나 못 떠나. 못 도망쳐. 내가 그렇게 만들 거야.

● 시간을 되돌릴 수 있다면 언제로 가야 할까? 어쩌면 우리는 같은 불안을 느끼고 있는지도 모른다.

연결이 되지 않아 음성 사서함으로 연결되며 삐 소리 후 통화료가 부과됩니다.

■ 완아! 이완!

● 기태야… 너.

■ 전화는 또 왜 안 받아? 나는 네가 또…….

■ 네가 어딜 갔을까 생각이 안 나. 7년 전이랑 똑같이. 병신같이.

● 미안해.

■ 내가 말했잖아. 무서워, 완아. 네가 내 눈앞에서 없어질까 봐 너무 무서워.

● 미안…….

BEHIND
CUT

청소년
소모임
모집
이 완

STAGE 06

그 애에 대한 사랑이 들키기 직전,
당신의 선택은?

1. 강하게 부정한다

2. 그 애를 좋아한다고 친구들에게 말한다

05
04
03
02
01

시간 내 선택하지 못하면 게임은 종료됩니다.

CHAPTER 8

게임의 결말

● 연락도 없이… 사람 불안하게.

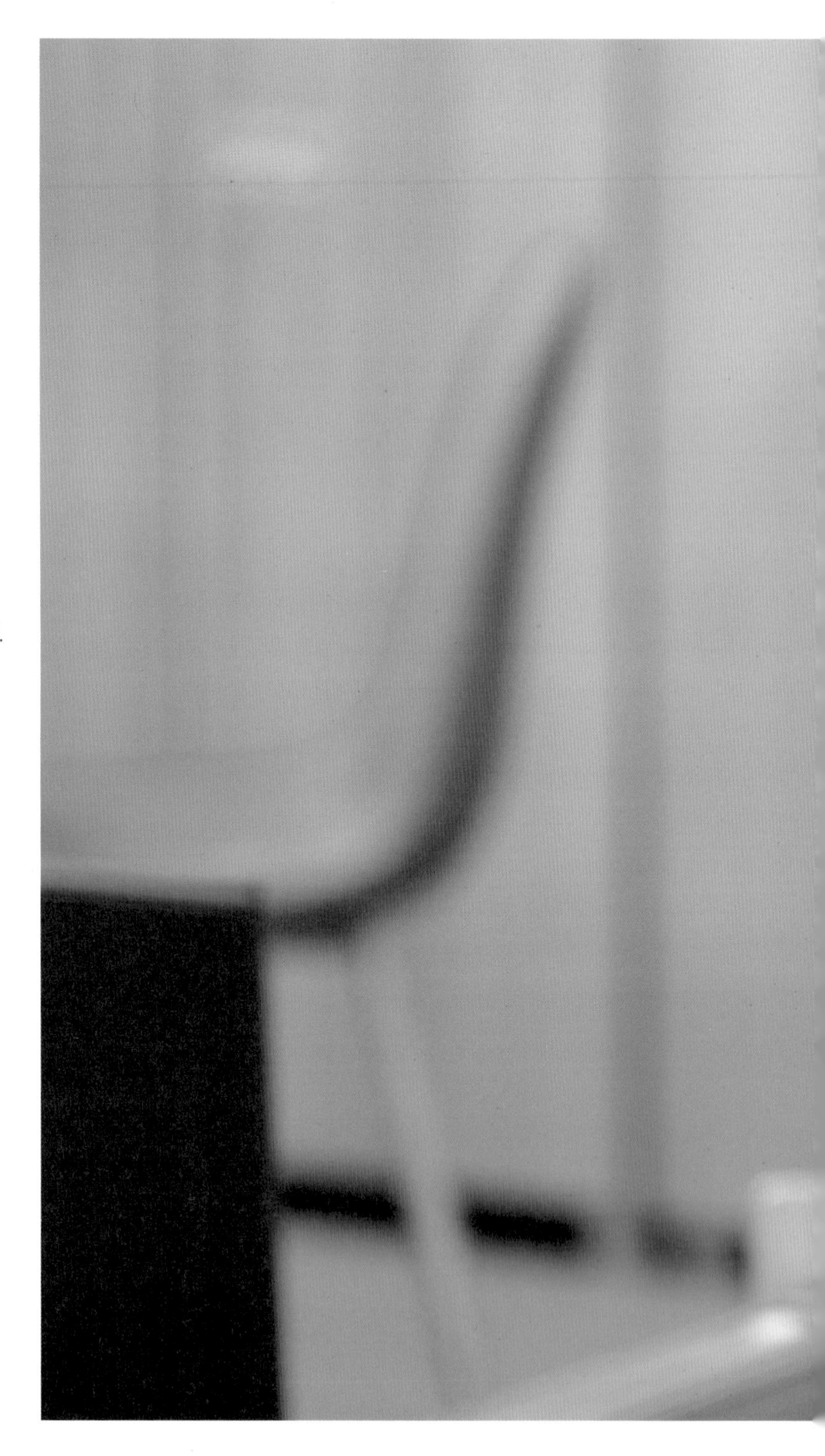

▲ 오늘 마지막 회의 진행할게요. 한 시간 뒤에 다들 회의실로.

● 아, 태오. 아직 에디가 안 왔는데…….

▲ 아, 에디는 오늘 일이 있어서 안 와요.

▲ 나 궁금한 거 있어요. 이안은 왜 그림을 그리게 됐어요?

● 어…

▲ 그림만 봐도 알겠네. 왜 그림을 그리게 됐는지.

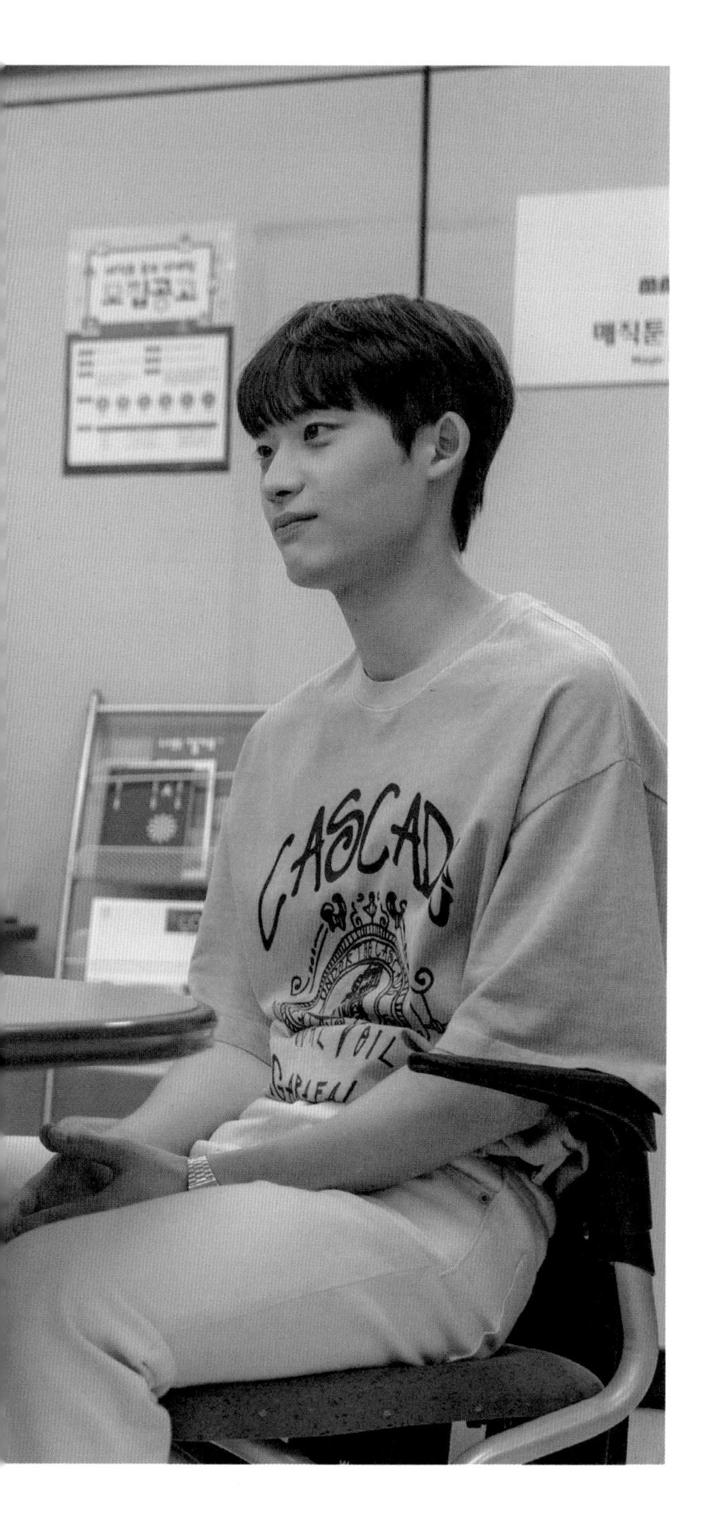

▲ 정말 후회 안 할 자신 있어요?

● 네. 피디님, 제가 왜 그림을 그리는지
생각해봤어요. 보여주고 싶은 사람이 있었어요.
언젠가 그 사람이 이 그림을 보지 않을까,
하는 생각으로 그린 거예요.

▲ 진짜 후회 안 해요? 나 안 붙잡아요.

● …네, 안 해요. 후회해도
지금은 제 선택이 맞아요. 죄송합니다.

UP

● 뭐야, 연락도 안 되고.

■ 오전에 급하게 출장 갔다 오느라고. 태오가 말 안 했어?

● 집에 가자.

■ 집에 가서 뭐 할 건데?

● 떡볶이 먹자.

■ 제 생일 2분 남았는데 선물은요?

● 아직 12시 안 됐는데.

■ 1분 59, 58… 5, 4, 3, 2…

● 내 블로그 들어가봐.

■ 블로그?

● 응. 12시 되면 너만 볼 수 있는 게시글 생길 거야.

■ 오케이. 나 그럼 바로 확인한다.

2015. 02.10
졸업식을 했다. 그리고 좋아한다고 말했다. 아마 다시는 못 볼 거다. 잊어야 한다.

2015. 04.13
내일이면 입대다. 돌아오면 다 잊고 새롭게 시작할 수 있었으면 좋겠다.

2017. 03.02
알바하다가 우연히 그 애의 이름을 들었다. 이제 다 잊은 줄 알았는데.

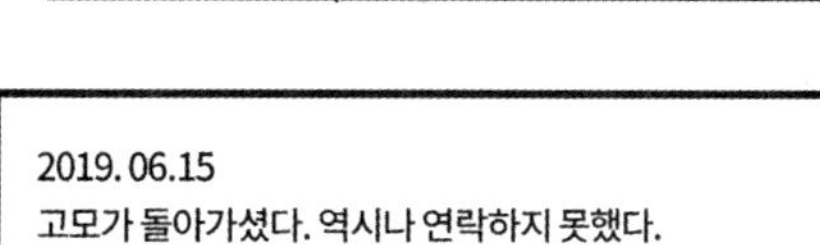

2019. 06.15
고모가 돌아가셨다. 역시나 연락하지 못했다.

2022. 05.02
다시는 못 볼 거라고 생각했는데, 오늘. 우연히 그 애를 다시 만났다.

2022. 08.25
생일 축하해. 이건 네가 없던 시절에 대한 내 기록.

게임보이: 내가 몰랐던 시절의 너를 사랑해.

● 나 너한테 할 말 있는데.

■ 뭔데… 나 불안하다?

● 아, 했었던 말인데 지금 다시 해야 되는 얘기.

● …너 좋아해.

■ 아, 나 이거 결말 아는데. 여기, 이 옥상.

● 그래서 네 대답은?

■ 그래서 내 대답은…

● 나 이제 다시는 안 도망가.
절대로. 진짜.

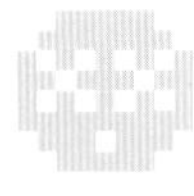

LONDON

■ 완아, 일어나.

● 좀만 더… 잘게…….

■ 빨리 일어나.

● 알겠어… 얼른 가, 얼른.

● 진짜 아침부터 그러고 싶냐? 어?

■ 응. 진짜로 가야겠다, 이제.

■ 나, 가지 말까?
● 응, 가지 마.
■ 진짜?
● 응.

● 그래서 영원히 해피 엔딩이냐고?
잘 모르겠다. 하나 확실한 건
삶이란 긴 게임 속 시뮬레이션은 계속될 거고,
나는 도망 대신 사랑을 선택할 거다.
어떻게 아냐면 한 번 해봤으니까.

BEHIND
CUT
West Island
LONDON

ARDOG

신기태

292513
STORM

CAMP
VARSITY
TRAVEL
RE:TRY
에디

우리연애
시뮬레이션

NIVERSAL STUDIOS
TAKE
SOUND

LAST STAGE

마지막 스테이지, 당신의 선택은?

1. 그 애의 마음을 모르니 피한다

2. 이번에는 도망가지 않는다

PLAY / STOP >> LOVE SCORE

YES NO

축하합니다. 모든 스테이지를 통과했습니다.

연애를 시작하시겠습니까?

초판 1쇄 인쇄 2023년 7월 19일
초판 1쇄 발행 2023년 7월 31일

지은이 우리 연애 시뮬레이션 제작팀
펴낸이 정은선
디자인 ALL contents group

펴낸곳 ㈜오렌지디
출판등록 제2020-000013호
주소 서울특별시 강남구 선릉로 428
전화 02-6196-0380 | **팩스** 02-6499-0323

ISBN 979-11-7095-002-8 (03810)

www.oranged.co.kr